Tweede druk, 2007

Ik wil een nuffel!
Tekst: Kristien Dieltiens
Omslag en illustraties: Kris Nauwelaerts
© 2005 Clavis uitgeverij, Hasselt – Amsterdam en Educatieve Uitgeverij Delubas, Drunen
Trefw.: AVI 5, knuffelen, eenvoud, gelukkig zijn
NUR 287 – 191
ISBN 978 90 448 0473 7 – D/2005/4121/101
Alle rechten voorbehouden

www.clavis.be | www.delubas.nl
www.clavisbooks.nl

Ik wil een nuffel!

KRISTIEN DIELTIENS
KRIS NAUWELAERTS

Het fijnste geschenk

Prinses Mira verveelt zich.
Ze zit in haar kamer en kijkt naar buiten.
In de tuin spelen Sam en Seth voetbal.
Hun vader is de tuinman van het paleis.

Wat is het toch saai om een prinses te zijn.
Mira wil geen jurk van satijn!
Ze wil liever een broek aan
en sportschoenen dragen.
En wat zou ze graag met de jongens meespelen.
Er zijn zo veel dingen die een prinses niet mag.
Niet in de bomen klimmen,
niet in de plassen springen.
Niet door het paleis hollen
en geen boomhut bouwen.
Geen windjes en boertjes laten.
Ja, jurken dragen en braaf zijn.
Dat mag ze wel.
En glimlachen natuurlijk.
Dat mag ook.
Want prinsessen mogen niet treuren of huilen.

Mira pakt het dikke boek met de gouden kaft.
Gewone boeken en strips mag ze niet lezen.
Ze mag alleen in gouden boeken lezen.
Het verhaal gaat over een prinses.
Het boek is nog van opa geweest.
Opa woont in een kamer in de toren.
De bladzijden van het boek zijn oud.
Soms missen er letters en woorden.
Mira vindt dat niet zo erg.
Vaak kan ze het woord raden.
De andere stukjes denkt ze er zelf wel bij.

Het boek is bijna uit.
De laatste woorden zijn haast niet te lezen.
Ze leest: *Toen kreeg ... de prinses ...*
het fijnste geschenk ...
ter wereld ... een nuffel.
Wat was de prinses gelukkig!
Een nuffel?
Wat is dat nu weer? denkt Mira.
Daar heeft ze nog nooit van gehoord.
Zou het iets voor gewone mensen zijn?
Nee, het verhaal ging over een prinses.
Ik moet weten wat het is! denkt ze.
Ik wil ook een nuffel!
Ik wil me ook weer fijn voelen.
Net als de prinses uit het boek.

De koningin

Mira holt naar de kamer van haar moeder.
De koningin zit voor de spiegel.
Ze kiest een kroon uit.
De gouden kroon met parels staat haar het best.
'Mammie, mag ik een nuffel hebben?'
De koningin staat nu voor de kast.
In die kast staan wel honderd schoenen.
Welke passen het best bij haar gouden kroon?

'Mammie, ik wil een nuffel!
Een nuffel die me gelukkig maakt!'
De stem van Mira klinkt triest.
De koningin kiest een paar gouden schoenen.
Met hoge hakken.
Heel even kijkt ze naar haar dochter.
'Mira, ik heb nu geen tijd.
Ik moet naar een feest.
Maar als ik terugkom, breng ik voor jou een nuffel mee.'
Ze ritst haar gouden jurk dicht
en spuit wat parfum op.
Ze ruikt nu echt naar koningin.
Dan verdwijnt ze door de deur.
En Mira wacht op de nuffel.
De nuffel die haar gelukkig zal maken.

's Middags komt de koningin weer thuis.
Haar kroon staat wat scheef.
Op haar jurk zit een grote eetvlek.
Achter haar loopt een vermoeide lakei.
Hij sleurt een enorm pak met zich mee.
'Kijk eens in de zak, Mira,' zegt de koningin.
'Hier zit vast wel een nuffel in.
Ik moet vlug weer weg, naar een ander feest.
Op het menu staan heerlijke hapjes en
verrukkelijke vla ...
Dag schat!'
En weg is ze.

De zak zit vol met speelgoed.
Mira haalt er een paar mooie poppen uit.
Poppen die kunnen praten en dansen.
Mira heeft er al meer dan tien.
Er zitten ook vijf leuke ballen in de zak.
Mira heeft er al meer dan twintig.
Er zijn schaatsen en een step.
Een tol en een puzzel.
Een mooi servies en een wollen beer.
Die beer kan zelfs grommen.
Mira heeft alles al.
Er zit geen nuffel bij die haar gelukkig maakt.
Dat weet ze zeker.

De koning

Misschien weet papa wel waar ze een nuffel kan
vinden.
Mira holt naar zijn werkkamer.
De koning draait wat aan een wereldbol.
Overal staan vlaggetjes opgeprikt.
'Papa, ik wil zo graag een nuffel.'
De koning prikt net een vlag op een land in
Afrika.
'Pappie, ik wil nu een nuffel hebben!'
De koning draait zich met een ruk om.
'Oh, dag Mira, wat zei je?
Een buffel?'
'Nee, papa, een nuffel!'
Hij krabt even onder zijn kroon.
Dat doet hij altijd als hij nadenkt.
Of als hij iets niet weet.

'Mira, ik breng voor jou een nuffel mee.
Maar nu moet ik eerst een lint doorknippen.
Er is een opening van een nieuwe dierentuin.'
De koning neemt zijn beste schaar mee.
Hij kijkt even naar buiten.
Er hangt onweer in de lucht.
Hij zet snel de kroon op die tegen regen kan.

Wat is het leven saai als je vader koning
en je moeder koningin is.
Mira loopt door het paleis.
Iedereen is druk bezig.
Niemand heeft tijd voor haar.
Ze kijkt nog even door het raam naar buiten.
Sam en Seth zijn weg.
Hun bal ligt in de struiken.
Mira slentert terug naar haar kamer.
Had ze nu maar een nuffel.
Zo een die haar blij kon maken.

Twee uur later is de koning weer thuis.
Hij sleurt een grote kooi met zich mee.
'Mira, ik heb wat voor je.
Er zit vast wel een nuffel tussen.'
Mira maakt de kooi open
en zet grote ogen op.
Er komen wel honderd dieren uit.
In alle bonte kleuren en vormen.
Maar er is geen nuffel bij die haar gelukkig maakt.
Dat weet ze zeker.

De kok

Een lakei slaat drie keer op de gong.
Het galmt in de gangen.
Tijd voor thee met koekjes en taart.
Mira zit alleen in de salon.
De tafel is mooi gedekt.
Er ligt een deftig wit tafelkleed
vol rode roosjes.
Er staan bordjes met een gouden rand
en kanten servetten.

Het dienstmeisje schenkt de thee in.
De kok schept een stuk taart op Mira's bord.
Mira zucht eens diep.
'Prinses, wat scheelt er toch aan?'
vraagt de kok bezorgd.
Mira haalt haar schouders op.
'Ik heb zo'n zin in een nuffel.'
'Bedoel je een truffel?' vraagt hij.
'Nee, een nuffel,' zegt Mira.
'En je taart dan?' vraagt de kok.
'Het is je lievelingstoetje!'
Mira schudt haar hoofd en schuift het bord weg.
'Ik heb de taart met room gemaakt,' zegt hij.
'En met hagelslag, dat vind je zo lekker.'

Mira blijft met haar hoofd schudden.
'Alleen een nuffel kan me
gelukkig maken,' zegt ze triest.
De kok denkt diep na.
'Misschien vind ik in mijn kookboek
nog een recept voor een heerlijke nuffel!'
Hij snelt de kamer uit.
Mira blijft alleen achter.

Even later is de kok er weer.
Zijn knechten lopen met hem mee.
Ze dragen schotels met veel lekkers erop.
Citroentaart en ijs met fruit.
Mokkataart, soesjes, drop en toffees.
Te veel om op te noemen.
De kok legt van alles wat op Mira's bord.
Ze proeft met kleine hapjes.
Nee, er is geen nuffel bij die haar gelukkig maakt.
Dat weet ze zeker.

Mira loopt door het paleis.
Ze gaat verder op zoek.
In elke kamer, kast en hoek.
De hulpjes poetsen de klinken van de deuren.
Tot ze net zo mooi blinken als een spiegel.
Nee, een nuffel hebben ze niet gezien.
De knechten schaatsen door de gang
op hun zachte pantoffels.
De tegels zien er weer als nieuw uit.
Maar een nuffel?
Nee, die hebben ze nog nooit gezien.

De hofkleermaker

De hofkleermaker ziet Mira's trieste gezicht.
Oei, de prinses lacht niet!
Hij zit op de tafel met zijn benen gekruist.
Er steken spelden uit zijn mond.
In de kamer staan grote paspoppen.
De kleermaker heeft er stoffen opgeprikt.
'Kan ik je helpen, prinses?' vraagt hij beleefd.
'Ik wil zo graag een nuffel,' zegt Mira.

De kleermaker verslikt zich bijna in een speld.
Een nuffel?
Wat voor kledingstuk is dat dan weer?
'Ik zorg wel voor een mooie nuffel,' zegt hij.
Hij is blij dat hij eens wat anders mag doen.
Hij maakt alleen maar jurken en mantels.
Mira heeft geen geduld meer.
Om de tijd door te komen,
hinkelt ze op de tegels in de gang.
Maar in je eentje spelen, is niet zo leuk.
Ze probeert ook de handstand.
Maar met haar lange jurk gaat dat niet zo goed.
Een lakei schudt zijn hoofd.
Dat is toch niks voor een prinses, denkt hij.
Een prinses moet mooi op de grond blijven staan.

Hè, hè, daar komt de kleermaker aan.
Zijn wangen zijn rood van het harde werken.
In zijn handen draagt hij de gekste kleren.
Mira bekijkt ze stuk voor stuk.
Nee, er is geen nuffel bij die haar gelukkig maakt.
Dat weet ze zeker.

Tuur de tuinman

Mira weet niet meer waar ze moet zoeken.
Dan denkt ze aan de tuin.
Daar heeft ze nog niet gezocht.
Ze pakt haar jurk vast
en holt door de grote poort naar buiten.
De pauwen kijken haar na en doen: 'Auw, auw!'
De duiven vliegen klapwiekend weg.
De zwanen steken hun kop in het water.
De kikkers kwaken weer verder.

Midden in de paleistuin staat een houten huis.
Daar woont Tuur de tuinman.
Zou hij een nuffel voor haar hebben?
Tuur is onkruid aan het wieden in de moestuin.
Als hij Mira ziet, stopt hij en lacht hij naar haar.
'Prinses, wat zoek je hier?
Pas op, maak je mooie jurk maar niet vuil.'

'Tuur, ik zoek een nuffel.'
Tuur krabt even achter zijn oor.
'Tja,' zegt hij, 'wil je mijn hond Snuffel hebben?'
Mira schudt haar hoofd.
Haar ogen worden vochtig.
Oei, denkt Tuur, een prinses die bijna huilt ...
'Ik zal voor jou een nuffel gaan zoeken.'

Even later is Tuur verdwenen.
Terwijl Tuur weg is, let Mira op Snuffel.
Ze aait hem over zijn snuit en op zijn borst.
Dat vindt hij fijn.
Dan gaat hij lekker op zijn rug liggen
en kwispelt met zijn staart.

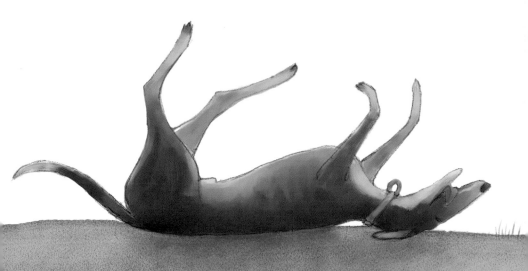

Even later komt Tuur terug.
Hij heeft alle soorten bloemen in zijn handen.
En aan zijn arm hangt een mand met lekker fruit.
Nee, er is geen nuffel bij die haar gelukkig maakt.
Dat weet ze zeker.

Moe van het zoeken

Traag gaat Mira terug naar het paleis.
Ze denkt en denkt.
Wat als een nuffel niet eens bestaat?
Misschien is het maar een woord uit een boek.
Maar het leek zo echt en zo fijn.
Vreemd dat ik naar iets verlang
wat ik niet ken, denkt Mira.
De zon staat al laag aan de hemel.
Ze kleurt de hemel mooi rood.
Er hangen ook een paar donkere wolken.
Mira is moe van het zoeken naar iets wat niet
bestaat.

Met trage benen gaat Mira naar binnen.
Het is weer tijd om te eten.
Met lange tanden eet ze wat er op haar bord ligt.
Boontjes met balletjes en een koek toe.
Normaal vindt ze dat heel lekker.
Maar vandaag is er niets heerlijks aan.

Alles staat klaar voor de nacht.
Het bad met heet water en een sopje.
Mira's zijden pyjama ligt op de stoel.
De zachte pantoffels staan eronder.
En ook het fijne hemelbed wacht op Mira.
De meid heeft het bed heel mooi opgemaakt.
Mira kan gaan slapen.
Maar ze wil niet echt ...

Opa misschien?

In het paleis wordt alles stil.
Alle knechten en dienstmeiden zijn weg.
De koning is de deur uit.
En de koningin zit aan de telefoon.
Ze praat met een gravin.
Mira ziet het boek van opa weer.
Het boek met de fijne nuffel.
Ik ga snel naar opa, denkt ze.
Die weet vast wel waar ik een nuffel kan vinden.

Op haar tenen sluipt ze naar de kamer van opa.
De deur staat op een kier.
Opa luistert naar de muziek van de radio.
Daar heeft hij nu de tijd voor, zegt hij.
Opa zingt heel zacht mee met een mooi lied.

Mira duwt de deur open.
Opa zit in zijn luie stoel.
Zijn ogen zijn dicht.
Hij bromt nog steeds wat mee met de muziek.
Opa heeft geen kroon meer op zijn hoofd.
Al zijn kronen staan in de glazen kast.
Zijn ogen gaan open en hij glimlacht naar haar.
Hij heeft pretlichtjes in zijn ogen.
In Mira's ogen zijn tranen.
'Kom maar eens even dicht bij mij,' zegt opa.
'En vertel eens waarom je verdrietig bent.'

Mira legt haar hoofd op zijn schouder.
'Opa, ik wil zo graag een heerlijke nuffel hebben.
Net als in jouw boek.'
'Ik zal jou een fijne nuffel geven,' zegt opa.
'De fijnste van heel de wereld!'
Hij knuffelt Mira heel stevig.
Tot ze er warm en gelukkig van wordt.
Een k-nuffel is echt het fijnste wat er is!